Xulio Gutiérrez

Ilustraciones de
Nicolás Fernández

Bocas
ANIMALES EXTRAORDINARIOS

FAKTORIA K DE LIBROS

ÁRBOL DE LA VIDA

VERTEBRADOS

EQUINODERMOS

ARTRÓPODOS

MOLUSCOS

ANÉLIDOS

CNIDARIOS

PORÍFEROS

Principales grupos del Reino Animal

				EJEMPLOS
VERTEBRADOS	mamíferos	euterios	*mamíferos con placenta:*	oso hormiguero, ballena, vam
		metaterios	*mamíferos sin placenta:*	canguro, koala
		prototerios	*mamíferos ovíparos:*	ornitorrinco
	aves	neognatos	*aves voladoras:*	flamenco, gallina, pato
		paleognatos	*aves corredoras:*	avestruz, kiwi
	reptiles	quelónidos	*reptiles con caparazón:*	tortugas
		escamosos	*reptiles que mudan la piel:*	víbora, lagarto
		crocodilianos	*reptiles con placas óseas:*	cocodrilo
	anfibios	anuros	*anfibios sin cola:*	rana, sapo
		urodelos	*anfibios con cola:*	tritón, salamandra
	osteíctios		*peces con escamas:*	piraña, sardina
	condrictios		*peces sin escamas:*	tiburón, raya
	ciclóstomos		*peces sin mandíbulas:*	lamprea
EQUINODERMOS	holoturoideos			holoturia, pepino de mar
	ofiuroideos			ofiura
	crinoideos			lirio de mar
	equinoideos			erizo de mar
	asteroideos			estrella de mar
ARTRÓPODOS	miriápodos			ciempiés, milpiés
	insectos			langosta, mosquito
	crustáceos			cangrejo, camarón
	arácnidos			araña, escorpión
MOLUSCOS	cefalópodos		*moluscos con tentáculos:*	calamar, pulpo
	bivalvos		*moluscos con dos conchas:*	almeja, vieira
	gasterópodos		*moluscos con una concha:*	bígaro, caracola
ANÉLIDOS	hirudíneos			sanguijuela
	poliquetos			lombriz marina
	oligoquetos			lombriz terrestre
CNIDARIOS				coral, hidra, medusa
PORÍFEROS				esponja de mar

Bocas

Animales extraordinarios

Entre el ecuador y los polos hay una enorme cantidad de ecosistemas: desde los ambientes extremadamente fríos del ártico hasta los cálidos trópicos, desde los áridos desiertos hasta las húmedas selvas ecuatoriales. En cada ecosistema miles de animales luchan por su vida según la dura ley de la selección natural:

«comer y no ser comido».

Para sobrevivir, cada especie se adapta a un ecosistema, a un clima, a un tipo de alimentación. Cada especie tiene un modo especial de obtener su alimento y, para ello, unos órganos propios y unas formas de comportamiento que la diferencian del resto. A veces estos órganos están muy especializados.

En este libro veremos algunos ejemplos de animales extraordinarios que presentan adaptaciones muy complejas para conseguir el alimento que precisan. Unos son carnívoros, otros herbívoros; todos ellos especialistas que nos muestran la gran variedad de estrategias alimentarias que existen en la naturaleza.

Oso Hormiguero

Myrmecophaga tridactyla

El oso hormiguero
es un mamífero robusto
del tamaño de un perro grande.

A pesar de su nombre, no tiene nada que ver con los osos.
Está emparentado con los perezosos.

Vive en las selvas y en las grandes praderas
de América Central y del Sur.
Le gustan los espacios abiertos
que recorre buscando hormigueros.

El oso hormiguero come muy poco, por eso no se puede permitir gastar demasiada energía. Siempre trata de ahorrar esfuerzos: se mueve muy lentamente y duerme mucho, hasta 16 horas al día.

Es un animal solitario. Solo busca compañía unos pocos días al año, durante la época de reproducción. Después la pareja se deshace y cada uno vuelve a su territorio.

Las hembras tienen una sola cría por parto, a la que llevan sobre la espalda perfectamente camuflada por los dibujos de su piel.

Su piel fuerte, cubierta de grueso pelaje, forma una barrera que le protege de los ataques y picaduras de las hormigas soldado.

Sus únicos enemigos son los pumas y los jaguares. Sin embargo la especie está en peligro de extinción a causa de los seres humanos. Los atropellos en zonas urbanizadas, la caza furtiva y, sobre todo, la destrucción de su hábitat natural están reduciendo dramáticamente su número.

Superlengua

Las regiones tropicales son cálidas y húmedas durante todo el año. La vegetación crece con tanta fuerza que bajo el suelo se acumulan toneladas de hojas y madera muerta que sirven de alimento a millones de pequeños insectos.

El oso hormiguero es un gran cazador de insectos, sobre todo de hormigas, su alimento preferido. Un adulto puede comer hasta 35.000 en un solo día.

Cuando encuentra un hormiguero, rompe la entrada con sus enormes garras. Luego excava con sus afiladas uñas, hasta llegar a las galerías donde habitan las hormigas. Después introduce el hocico estrecho y alargado en el agujero y lanza su larguísima lengua, que puede sacar y meter hasta tres veces por segundo, en busca de alimento.

Las hormigas se quedan adheridas al contacto con la saliva densa y pegajosa. Luego las traga sin masticar: el oso hormiguero no tiene dientes.

Cuando escarba, solo destruye la parte superior del hormiguero. Las hormigas no tardarán en reconstruirlo, y así podrá volver a las pocas semanas en busca de más alimento. De esta forma, el oso hormiguero no rompe el equilibrio del ecosistema y garantiza su supervivencia.

BALLENA JOROBADA

Megaptera novaeangliae

La ballena jorobada
es una ballena de tamaño medio,
la mitad que las grandes ballenas azules.

Sus largas aletas y su lomo arqueado la hacen inconfundible.

Las ballenas son animales muy sociables que viven en pequeños grupos familiares. Entre ellas se comunican mediante variados sonidos que parecen música. Algunos de estos sonidos son tan graves que los seres humanos no podemos percibirlos.

Pasa su vida haciendo larguísimos viajes por la mayoría de los mares del mundo.
Nada muy despacio, más o menos a la velocidad que camina una persona.

La ballena jorobada es una de las más fáciles de avistar, porque le gusta acercarse a las embarcaciones a curiosear.

A veces salta fuera del agua y hace giros y maniobras acrobáticas realmente rápidas y espectaculares. Durante el cortejo, los machos compiten por acercarse a las hembras dando formidables saltos. En la época de la reproducción viajan a los trópicos para parir sus crías en aguas cálidas.

La mayor amenaza para estas ballenas es el ser humano. En el siglo XX fueron capturadas más de 100.000, quedando la especie al borde de la extinción. Hoy quedan unas 28.000. Desde 1966 están protegidas en todo el mundo, pero algunos países quieren que se vuelva a permitir su pesca.

A pesar de su aspecto tranquilo y pacífico, la ballena jorobada es un gran depredador. Durante el verano viaja hasta los océanos polares, donde captura toneladas de diminutos camarones árticos y pequeños peces, como arenques y sardinas. El resto del año no come nada y vive de las reservas de grasa que acumula bajo la piel.

Para pescar golpea el agua con la cola y las aletas hasta aturdir a sus presas. Luego las devora en un ataque directo y veloz. Pero en ocasiones utiliza una técnica de pesca mucho más sofisticada que necesita de la colaboración de todos los individuos del grupo: la pesca con burbujas.

Pesca con burbujas

Cuando las ballenas encuentran un banco de peces comienzan a nadar rápidamente en círculos. Al mismo tiempo expulsan aire para formar una red de burbujas a su alrededor. Las presas no pueden ver a las ballenas y, desorientadas por las burbujas, suben a la superficie, reuniéndose en el centro de una gran trampa.

Entonces, las ballenas ascienden desde el fondo con la boca abierta, recogiendo cientos de litros de agua y capturando miles de presas de un bocado. Después, con su enorme lengua, expulsan el agua a través de las barbas. Allí queda retenido el alimento, que al fin engullen por su estrecha garganta.

VAMPIRO

Desmodus rotundus

El vampiro es
un murciélago pequeño,
del tamaño de un gorrión.

Se alimenta de la sangre de animales como caballos, burros, cabras
y, a veces, también de sangre humana.

Vive en las regiones más cálidas
del continente americano,
desde México hasta Argentina y Chile.

El vampiro es un animal sociable que vive en pequeños grupos familiares. Durante el día se esconde en cuevas, árboles y edificios en ruinas. Estos lugares son fáciles de localizar por el fuerte olor a amoniaco que desprende la orina del vampiro.

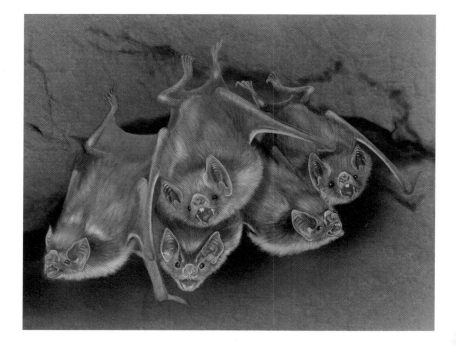

Los vampiros apenas acumulan grasa en el organismo, por lo que no pueden sobrevivir más de cuatro días sin comer. Cuando un vampiro tiene hambre, pide ayuda a sus vecinos. Estos regurgitan parte del alimento que tienen en su estómago para que coma.

Los vampiros, como todos los murciélagos, compensan su mala visión con un oído extraordinario que utilizan para orientarse en vuelo.

Mientras vuelan, los vampiros emiten unos chillidos muy agudos imperceptibles para el oído humano. Con sus enormes orejas captan los ecos de estos sonidos, y así calculan las distancias, evitan obstáculos y localizan a sus presas. Este sistema de orientación, llamado ecolocación, es muy parecido al radar de un avión de combate.

Depredador nocturno

El vampiro tarda al menos dos horas en elegir una presa y situarse a la distancia adecuada. Luego se aproxima con mucho sigilo y salta suavemente sobre el lomo o una pata de su víctima.

Es capaz de percibir el calor de los vasos sanguíneos bajo la piel de su presa. Así puede morder exactamente donde las heridas sangran más.

Antes de morder, lame con delicadeza la piel de la víctima, separando el pelo y esparciendo saliva por toda la zona. La saliva contiene una sustancia anestésica que impide que la presa sienta dolor.

Después clava sus dientes, tan afilados como un bisturí, causando una pequeña herida circular. La sangre mana abundantemente porque la saliva también contiene sustancias anticoagulantes.

Luego dispone la lengua en forma de tubo y chupa sangre de la herida hasta saciarse por completo.

Un vampiro adulto toma diariamente unos 15 g de sangre, lo que equivale a la mitad de su propio peso. Después de comer necesita descansar un buen rato y orinar abundantemente para perder peso y poder levantar el vuelo.

ORNITORRINCO

Ornithorhynchus anatinus

El ornitorrinco es un mamífero pequeño y tímido.

Durante el día duerme escondido
en un nido subterráneo y por la noche sale a cazar,
incluso en la más completa oscuridad.

Habita únicamente en Australia y Tasmania,
siempre cerca del agua,
junto a ríos o lagos.

Los primeros ejemplares de ornitorrinco traídos a Europa asombraron a los científicos. No podían creer en la existencia de un animal que tenía pico de pato, dientes de rata, piel de topo, cola de castor, patas de rana y que, además, producía un desagradable olor a pescado podrido para protegerse de los depredadores.

El ornitorrinco es un mamífero muy primitivo. Las hembras ponen dos huevos de cáscara blanda que incuban durante una semana. Al salir del huevo, las crías son muy vulnerables, ya que nacen ciegas y sin pelo. Las hembras no tienen pezones: la leche les sale a través de la piel de la barriga; por eso las crías están siempre sobre sus madres, lamiéndoles el vientre.

En otros tiempos, los ornitorrincos se cazaban para fabricar zapatos con su piel. Hoy están protegidos, pero pueden volver a estar en peligro si continúa la destrucción de su hábitat natural.

Anatomía imposible

La alimentación del ornitorrinco es muy variada: algas, plantas acuáticas, lombrices, ranas, larvas, camarones y otros pequeños invertebrados. Es tan voraz que en una sola noche puede ingerir una cantidad de alimento equivalente a su propio peso.

La vista del ornitorrinco es excelente y su oído muy agudo, pero no utiliza estos sentidos para cazar, sino para detectar la presencia de depredadores.

Cuando caza, cierra los ojos y las fosas nasales, y se guía por los órganos de electrolocación que tiene en el pico. Con estos órganos percibe los campos eléctricos que generan los músculos de sus presas, aunque estén escondidas bajo las piedras o enterradas en la arena del lecho del río.

Una vez localizada su presa, la atrapa hozando entre las piedras. Para esto se ayuda del finísimo tacto que posee la piel de su pico.

Mientras caza, va guardando sus capturas en unas bolsas que tiene a ambos lados de la boca, como los hámsteres. Después, se retira a un lugar tranquilo donde mastica y engulle sin prisas su alimento.

FLAMENCO

Phoenicopterus ruber

Vive en zonas cálidas de África,
Asia, América Central y sur de Europa.
La especie está muy extendida por todo el mundo.

El flamenco es un ave grande que vive en ríos y lagos
formando colonias de miles de individuos.

Cuando levantan el vuelo todos al tiempo ofrecen un espectáculo formidable.

Hay cinco especies de flamencos muy semejantes entre sí. El más común
es el flamenco rosa. Todos ellos viven cerca del agua, en zonas fangosas
de ríos y lagos o en lagunas costeras de agua salobre.

El flamenco tiene patas muy largas y dedos con membranas que le permiten andar por los barrizales sin hundirse.

En la época de cría forman parejas y construyen un nido de barro que
defienden con violencia si es necesario. La hembra pone un único huevo,
muy grande, que ambos cuidan con mucha dedicación. El pollo será ali-
mentado por los dos padres durante tres meses.

El flamenco es presa habitual de muchos depredadores, pero su mayor
amenaza es el hombre, que urbaniza los lugares de cría, contamina su
hábitat y los mata por deporte.

Elegante filtrador

El flamenco se alimenta de plantas y animales diminutos que abundan en las aguas salobres: algas, moluscos, lombrices y otros pequeños organismos.

Su pico es muy complejo. La mandíbula superior es rígida, la inferior es móvil y ambas encajan a la perfección. El interior del pico está lleno de láminas y hendiduras que actúan como filtro o criba. La lengua es grande y funciona como una potente bomba que aspira y expulsa agua con mucha fuerza.

Cuando buscan alimento doblan el cuello, quedando la cabeza hacia abajo y el pico paralelo a la superficie del agua. Luego andan despacio, removiendo con las patas el lodo del fondo para hacer salir a sus presas.

Después recogen una buena cantidad de agua en la mandíbula superior y mueven la lengua de arriba abajo varias veces por segundo. Así filtran el agua y la expulsan con fuerza y gran estruendo, quedando el alimento retenido en las hendiduras y láminas del pico.

Un flamenco adulto necesita comer unos 50.000 pequeños animales cada día, por lo que tiene que dedicar mucho tiempo a procurarse su alimento.

COCODRILO AFRICANO

Crocodylus niloticus

Habita en los ríos de África, aunque existen otras especies semejantes en zonas cálidas de Asia, América y Australia.

Los cocodrilos son los reptiles más grandes que existen en la actualidad.

El cocodrilo africano es un gran depredador especializado en la caza al acecho.

El cocodrilo africano es un animal muy agresivo que ataca con violencia a cualquiera que entre en su territorio.

Es una especie amenazada por la caza furtiva debido a los altos precios que se pagan en el mercado negro por su hermosa piel.

Son animales de «sangre fría», por lo que apenas gastan energía en producir calor. Por eso pueden subsistir con una pequeña cantidad de alimento en relación a su gran tamaño: un cocodrilo de 350 kg no necesita más que 1 kg de carne al día.

Según una vieja leyenda, los cocodrilos lloran de pena cuando matan. La realidad es que tienen las glándulas salivares muy próximas a las glándulas lacrimales, lo que hace que con frecuencia se les escape alguna lágrima mientras comen.

La hembra pone entre 30 y 90 huevos en un nido que excava a la orilla del río. Luego lo vigila hasta que nacen las crías. Durante los primeros años de vida, los pequeños cocodrilos se alimentan de insectos, ranas y cangrejos, y son presa frecuente de muchos depredadores.

Máquina de matar

El cocodrilo africano se desplaza muy lentamente, siempre al acecho de cualquier animal que se acerque a beber al río.

Flota casi sumergido en el agua dejando fuera solo los ojos y las fosas nasales. Para mantener esta posición se ha tenido que tragar varios kilos de piedras, que además le ayudan a hacer la digestión.

Cuando elige una presa, se acerca nadando lentamente, se abalanza sobre ella y la atrapa en un rapidísimo movimiento de cabeza y mandíbulas.

Una vez que la tiene bien sujeta, la arrastra bajo el agua y la golpea hasta que muere ahogada.

Luego, si la presa es grande, gira sobre sí mismo para arrancarle la carne a pedazos, ya que los temibles dientes del cocodrilo no sirven para cortar ni para masticar: están diseñados solo para sujetar a su víctima. Cuando la presa es tan grande que no puede devorarla de una sola vez, suele esconder los restos bajo el agua, entre piedras o troncos, para acabar de comérselos más tarde.

Las mandíbulas del cocodrilo tienen unos músculos muy poderosos. La fuerza de su mordisco es la mayor del reino animal. Los científicos creen que es incluso superior a la fuerza de las mandíbulas del extinguido Tiranosaurio rex.

VÍBORA EUROPEA

Vipera berus

Hay varias especies distintas.
Todas suelen vivir en zonas secas,
poco soleadas y pedregosas o con maleza.

La víbora es una serpiente pequeña de color muy variable.

Se distingue de las culebras por el dibujo de la piel y por sus pupilas verticales.

Las víboras hibernan durante los meses fríos. Cuando despiertan, en primavera, los machos pelean entre sí para conquistar un territorio. Esta lucha, que parece una danza, es en realidad una prueba de fuerza.

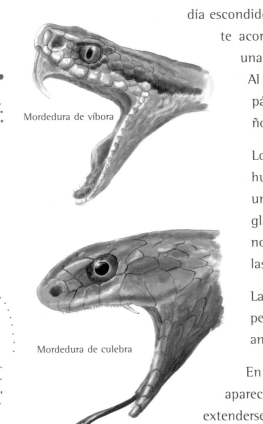

Mordedura de víbora

Mordedura de culebra

La víbora es un animal tímido que pasa casi todo el día escondido. Solo ataca cuando se siente acorralada o sin salida. Si tiene una vía de escape prefiere huir. Al atardecer sale a cazar roedores, pájaros, lagartos y otros pequeños animales.

Los colmillos de la víbora son huecos. En su interior tienen un canal conectado a unas glándulas productoras de veneno neurotóxico que paraliza a las víctimas.

La picadura no suele ser mortal, pero es muy grave en niños, ancianos y personas enfermas.

En el lugar de la mordedura aparece una inflamación que puede extenderse y ser muy dolorosa. A veces también se producen vómitos y mareos.

A pesar de la creencia popular, nunca se debe chupar ni cortar la herida. Lo mejor es tranquilizar al paciente, desinfectar la zona y aplicar hielo. Luego trasladarlo con urgencia a un centro sanitario en absoluto reposo para evitar que el veneno se extienda por todo su cuerpo.

Bocados venenosos

La víbora es especialista en la caza al acecho. Puede pasar mucho tiempo completamente inmóvil, aguardando a que su presa se sitúe a la distancia adecuada. Es entonces cuando, con un ágil movimiento de cabeza, se lanza hacia su víctima, le clava profundamente los colmillos y le inocula el veneno.

A continuación, se enrosca alrededor de su presa y permanece con los colmillos hundidos en el cuerpo de su víctima hasta que el veneno hace efecto y la presa queda inmóvil.

Los dientes de la víbora son muy pequeños, están inclinados hacia atrás y no sirven para cortar. Por eso tiene que tragarse las presas enteras, de un solo bocado. Esta operación, lenta y difícil, la deja expuesta al ataque de otros depredadores. Por eso se retirará cuanto antes a un lugar seguro donde hará la digestión durante varios días.

Con frecuencia caza animales más grandes que ella misma. Para tragarlos tiene que desencajar las mandíbulas. Esto es posible porque los huesos que las articulan no están soldados, sino unidos por unos ligamentos muy flexibles.

PIRAÑA DE VIENTRE ROJO

Serrasalmus nattereri

La piraña es un pez
del tamaño de la mano de un hombre.

Existen más de veinte especies.
Algunas son carnívoras, como la piraña de vientre rojo,
pero la mayoría son vegetarianas.

Es un pez muy común
en los ríos de América del Sur,
especialmente en el Amazonas, el Orinoco
y otros ríos tropicales.

La piraña vive en grandes grupos que recorren los ríos, nadando siempre cerca de la superficie del agua, a la búsqueda de posibles presas. El macho se distingue de la hembra por la mancha roja que tiene en el vientre; en la hembra es amarilla.

El macho es muy paternal: será él quien incube durante cuatro o cinco días, hasta la eclosión de los alevines, los más de 1.000 huevos que pone la hembra.

A pesar de su reputación de animal asesino, la piraña huye rápidamente cuando percibe la llegada de animales grandes o del hombre. Muy pocas veces ataca al ser humano. La piraña forma parte de la dieta de los nativos, que se bañan sin temor en lugares infestados por estos peces. Sus dientes y mandíbulas se utilizan para hacer cuchillos, anzuelos y tijeras.

Desde que sale del huevo, la piraña se comporta como un gran cazador. Durante las primeras semanas se alimenta de pequeños crustáceos, pero pronto aprende a cazar animales más grandes.

Dientes como cuchillos

Sus presas más frecuentes son otros peces, pero también atacan a pequeños mamíferos y reptiles. Hay quien cree que a las pirañas les atrae el olor de la sangre, como sucede con los tiburones, pero no es cierto. Para localizar sus presas, utilizan un órgano llamado «línea lateral», capaz de percibir las vibraciones que producen los animales al moverse en el agua. Cuando un animal chapotea, las pirañas acuden rápidamente y atacan con extrema violencia y agresividad.

La boca de la piraña posee un diseño perfecto. La mandíbula inferior es más grande y robusta que la superior, lo que le confiere un aspecto amenazador.

En cada mandíbula tiene una fila de dientes triangulares y un poco curvados, tan fuertes y afilados que cortan como un bisturí.

De cada mordisco secciona limpiamente un pedazo de carne y, en pocos minutos, no deja más que el esqueleto de su víctima.

En la estación seca, cuando escasea el alimento, se vuelven más atrevidas y agresivas, llegando a practicar el canibalismo.

LAMPREA

Petromyzon marinus

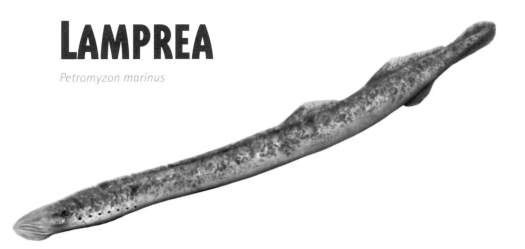

Vive en el Atlántico Norte,
y en los ríos y costas de Europa y Norteamérica.
Hay varias especies;
la más común es la lamprea marina.

La lamprea es un pez muy primitivo. Su piel es viscosa y carece de escamas.

No tiene espinas sino cartílagos, y unos orificios en la garganta por los que entra el agua hasta las branquias para respirar.

La vida de la lamprea tiene dos etapas muy diferentes: la fase de larva y la fase de adulto. Nace en un río, donde vive cuatro o cinco años como larva. Durante esta época es ciega, se alimenta de algas y tiene aspecto de lombriz. Al llegar a la edad adulta sufre una gran transformación, adquiere forma de pez y emigra al mar. Tres años después alcanza la madurez sexual y vuelve al mismo río donde nació. Allí se reproducirá una única vez y morirá inmediatamente después.

La lamprea, como todos los peces marinos que remontan el río para desovar, tiene grandes dificultades para acceder a los lugares de reproducción cuando el cauce está interrumpido por embalses o centrales hidroeléctricas.

Durante su vida adulta, la lamprea es parásito de grandes peces como tiburones, salmones y bacalaos. También lo es de mamíferos marinos como delfines y ballenas.

Anticoagulante natural

La lamprea utiliza la boca como ventosa. Con ella se adhiere a las piedras del fondo del río o del mar para no ser arrastrada por las corrientes. Cuando tiene hambre se suelta de la piedra, nada velozmente hacia su presa, agitando su poderosa cola a modo de látigo, y se abalanza sobre ella.

Su boca carece de mandíbulas, por lo que no puede morder, pero está preparada para perforar las pieles más duras.

La lamprea se adhiere con los labios a su víctima y le clava varias filas circulares de dientes durísimos.

Después hace un agujero en la piel de su presa, con unos dientes muy afilados que tiene en la punta de la lengua, y succiona la sangre que mana de la herida.

La lamprea no mata a su presa. Suele permanecer varias horas chupando sangre hasta quedar saciada. Luego, la libera y vuelve a adherirse a una piedra. Sin embargo, cuando ataca a un animal pequeño, este puede morir desangrado.

ESTRELLA DE MAR

Clase asteroidea

Existen más de 6.000 especies
de estrellas de mar.

Pertenecen al grupo de los equinodermos,
como los erizos y las holoturias
o pepinos de mar.

Habitan en todos los océanos del mundo.
Son animales bentónicos;
es decir, que viven en los fondos marinos,
desde la costa hasta las fosas abisales.

Son animales con forma de estrella o de pentágono. Carecen de cabeza y de tronco. Su cuerpo está formado por un disco central, rodeado de un número de brazos que varía de 5 a 45. Sus órganos internos, blandos y delicados, están protegidos por un esqueleto externo formado por duras placas calcáreas. La boca está en el centro de la cara inferior y el ano en el centro de la cara superior.

Cada año liberan millones de huevos que dejan a la deriva en el mar. La mayoría de estos huevos se los comen otros animales. Solo unos pocos eclosionarán y llegarán a ser adultos.

Cuando disponen de mucho alimento, se reproducen en gran número y forman plagas que atacan los cultivos de moluscos de las playas, produciendo considerables daños económicos a los acuicultores.

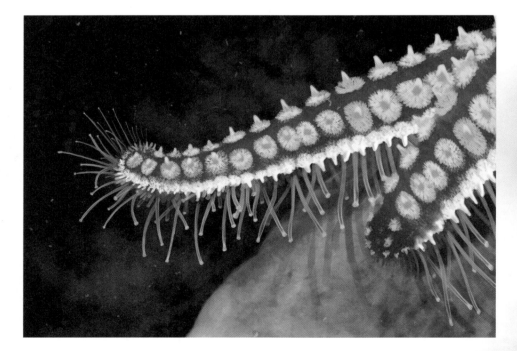

La estrella de mar tiene una gran capacidad de regeneración. Puede hacer crecer un brazo perdido, y algunas veces se llega a regenerar completamente a partir de un brazo si este conserva parte de los órganos centrales.

Depredadora implacable

Las estrellas de mar son depredadores carnívoros que recorren lenta y constantemente su territorio de caza. Para moverse utilizan un sistema hidráulico formado por una intrincada red de tubos llenos de líquido.

Estos tubos están conectados con varias filas de patas, llamadas «pies ambulacrales», que asoman por la cara inferior del animal. Cada pie tiene una ventosa en su extremo, que la estrella utiliza para desplazarse por el fondo del mar y para atrapar a sus presas.

Las estrellas de mar pueden capturar cualquier animal más pequeño que ellas. Sus presas más frecuentes son los moluscos bivalvos. Para cazar se guían por el tacto. Los ojos simples que poseen en los extremos de los brazos solo les sirven para diferenciar la luz de la oscuridad.

Cuando una estrella de mar encuentra un mejillón, lo rodea con los brazos y se adhiere con fuerza a sus valvas utilizando para ello las ventosas que posee en los pies ambulacrales.

Luego abre el molusco usando la inmensa fuerza que le proporciona su sistema ambulacral, semejante a los dispositivos hidráulicos de la maquinaria pesada.

Una vez que los órganos internos del molusco quedan al descubierto, la estrella segrega unos jugos digestivos que hacen que el animal muera digerido en su propia concha.

Por último, la estrella de mar saca el estómago a través de la boca y succiona la papilla blanquecina en que ha quedado convertido el cuerpo del mejillón.

LANGOSTA MIGRATORIA

Locusta migratoria

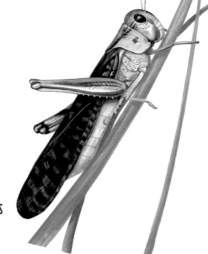

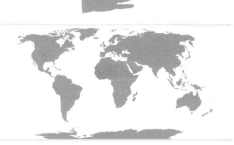

La langosta migratoria es un insecto
de la familia de los saltamontes y de los grillos.

Es conocida y muy temida desde la antigüedad
porque cada cierto tiempo forma grandes plagas
que asolan países enteros.

En condiciones normales, cuando no forma plagas,
es un animal sedentario
que vive en algunas zonas áridas de África y Asia.

Como todos los insectos, la langosta tiene seis patas. Las patas traseras
son muy largas y están provistas de potentes músculos que le permiten
dar grandes saltos. Además tienen dos pares de alas. Las externas son
duras y le sirven de coraza para protegerse de los depredadores. Las inter-
nas, extensibles y muy delicadas, le sirven para volar.

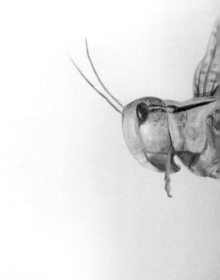

Cuando el verano es húmedo crían en gran número. Entonces agotan el
escaso alimento disponible y sufren un cambio brusco de aspecto y comportamiento: se vuelven más robustas y voraces, forman nubes de millones de individuos y emigran recorriendo cientos de kilómetros, devoran-
do cuanta vegetación encuentran a su paso.

Una nube de langostas
puede ocupar cientos de
kilómetros cuadrados. En
cada kilómetro cuadrado
hay 50 millones de lan-
gostas. Una nube puede
desplazarse 100 kilóme-
tros en un solo día.

El ataque de estas plagas
a los cultivos suele tener
consecuencias desastro-
sas para la población de
los lugares afectados. Es
muy difícil combatir una
plaga de langostas: hay
que localizar los lugares
donde crían y fumigar
con insecticida por tierra
y por aire.

Plaga mortal

La langosta posee una boca muy compleja formada por varias piezas articuladas que actúan sucesivamente, como una cadena de montaje industrial. Con ellas corta y tritura hojas, flores y tallos con gran eficacia.

Bajo el labio tiene dos mandíbulas muy poderosas con las que arranca grandes pedazos de plantas que después tritura con las maxilas hasta producir una pasta espesa.

Para dirigir el alimento desde las mandíbulas a las maxilas y de estas al interior de la garganta, utiliza varios palpos, similares a minúsculos dedos muy sensibles y delicados. El movimiento de estos palpos y de las mandíbulas es muy rápido y eficiente.

Cada animal puede comer incansablemente durante horas y devorar en un día una cantidad de plantas igual a su propio peso.

Mosquito Común

Culex pipiens

Habitan en todo el mundo
excepto en la Antártida.

Siempre viven cerca de charcas y aguas estancadas,
incluso en aguas sucias, letrinas y pozos negros.

El mosquito común es un insecto pequeño y muy delicado.
Tiene dos alas y seis patas muy largas.

Existen más de 3.000 especies de mosquitos.
La mayoría de estas especies son vegetarianas y no pican.

El mosquito sufre una profunda metamorfosis a lo largo de su corta vida. La hembra pone entre 200 y 300 huevos sobre la superficie del agua. De los huevos salen larvas acuáticas, que vivirán bajo el agua hasta convertirse en adultos. Durante esta época comen vegetales y pequeños animales. Después emergen a la superficie, despliegan las alas y echan a volar.

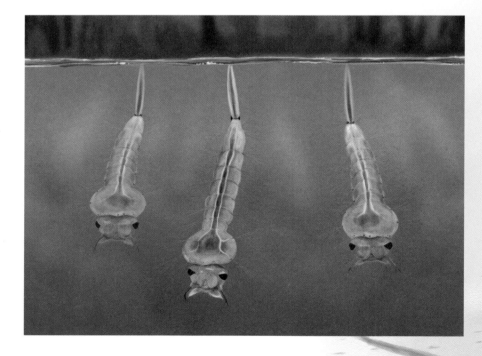

Como adulto, solo vivirá el tiempo necesario para procrear y poner los huevos que darán lugar a la siguiente generación.

La picadura de algunos mosquitos puede transmitir graves enfermedades como la encefalitis, la fiebre amarilla o la malaria. En los países ricos estas enfermedades están muy controladas, pero en países pobres, especialmente de África, causan estragos en la población.

Solo pica ella

El mosquito macho es vegetariano. Se alimenta del néctar de las plantas, que chupa como las mariposas. En la época de reproducción se le puede ver formando grandes enjambres en busca de hembras.

El mosquito hembra es inconfundible por su desagradable zumbido y por sus molestas picaduras. Necesita alimentarse de sangre para poder madurar sus huevos, ya que la sangre es mucho más nutritiva que el jugo de las plantas.

El mosquito ataca a animales de «sangre caliente». Sus víctimas favoritas son los pájaros, pero también ataca a mamíferos, incluido el ser humano. Detecta a sus presas mediante la vista, el olfato y por el calor que desprenden.

El pico de la hembra es mucho más largo que el del macho y está muy bien adaptado para cumplir su función: es un aguijón hueco por dentro, tan fino que su picadura es prácticamente imperceptible y apenas produce dolor.

Cuando pica, inyecta una pequeña cantidad de saliva cargada de sustancias anticoagulantes. Estas sustancias le facilitan la digestión y la succión de la sangre a través de un tubo tan fino. También son causa de la dolorosa roncha que aparece en la piel poco después de la picadura.

Cada hembra de mosquito tiene que picar entre cuatro y siete veces para conseguir la sangre que necesita para madurar los huevos que lleva en su interior.

FICHAS

OSO HORMIGUERO

PÁGINA: 5

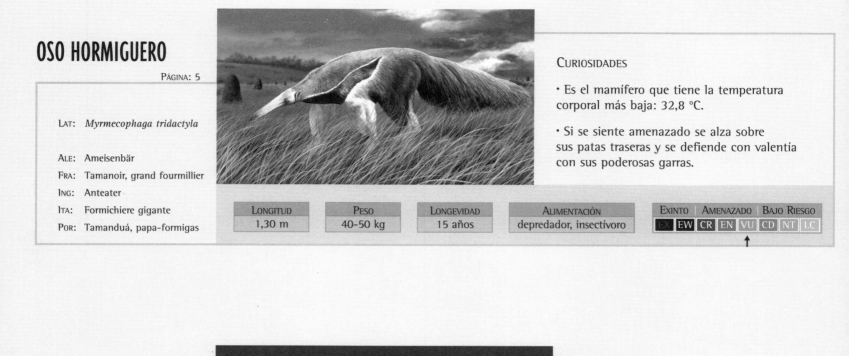

LAT: *Myrmecophaga tridactyla*

ALE: Ameisenbär
FRA: Tamanoir, grand fourmillier
ING: Anteater
ITA: Formichiere gigante
POR: Tamanduá, papa-formigas

CURIOSIDADES

• Es el mamífero que tiene la temperatura corporal más baja: 32,8 °C.

• Si se siente amenazado se alza sobre sus patas traseras y se defiende con valentía con sus poderosas garras.

LONGITUD	PESO	LONGEVIDAD	ALIMENTACIÓN	EXINTO	AMENAZADO	BAJO RIESGO
1,30 m	40-50 kg	15 años	depredador, insectívoro	EX EW	CR EN VU	CD NT LC

BALLENA JOROBADA

PÁGINA: 7

LAT: *Megaptera novaeangliae*

ALE: Buckelwale
FRA: Baleine a bosse
ING: Humpback whale
ITA: Megattera
POR: Baleia-corcunda

CURIOSIDADES

• Las crías recién nacidas miden 5 metros y pesan 2 toneladas.

• En un año pueden nadar más de 25.000 km entre las zonas de alimentación en los polos y las zonas de cría en los trópicos.

LONGITUD	PESO	LONGEVIDAD	ALIMENTACIÓN	EXINTO	AMENAZADO	BAJO RIESGO
16 m	40 t	50 años	filtrador, micrófago	EX EW	CR EN VU	CD NT LC

VAMPIRO

PÁGINA: 9

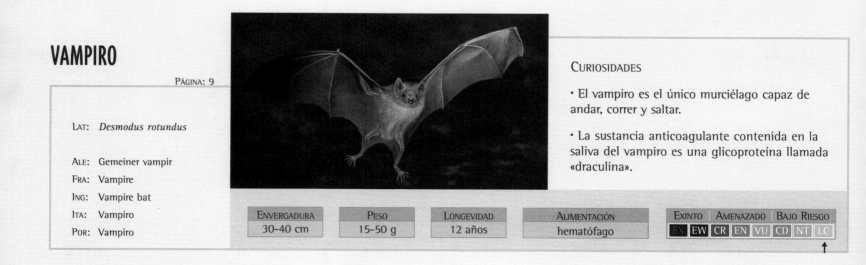

LAT: *Desmodus rotundus*

ALE: Gemeiner vampir
FRA: Vampire
ING: Vampire bat
ITA: Vampiro
POR: Vampiro

CURIOSIDADES

• El vampiro es el único murciélago capaz de andar, correr y saltar.

• La sustancia anticoagulante contenida en la saliva del vampiro es una glicoproteína llamada «draculina».

ENVERGADURA	PESO	LONGEVIDAD	ALIMENTACIÓN	EXINTO	AMENAZADO	BAJO RIESGO
30-40 cm	15-50 g	12 años	hematófago	EX EW	CR EN VU	CD NT LC

ORNITORRINCO

PÁGINA: 11

LAT: *Ornithorrhynchus anatinus*

ALE: Schnabeltier
FRA: Ornithorynque
ING: Platypus
ITA: Ornitorinco
POR: Ornitorrinco

CURIOSIDADES

• Los machos tienen espolones venenosos en las patas traseras. Junto con la musaraña, son los únicos mamíferos que producen veneno.

• Tiene un solo orificio común para los aparatos digestivo, urinario y reproductor.

LONGITUD	PESO	LONGEVIDAD	ALIMENTACIÓN	EXINTO	AMENAZADO	BAJO RIESGO
40-50 cm	4 kg	20 años	omnívoro	EX EW CR EN VU CD NT **LC**		

FLAMENCO

PÁGINA: 13

LAT: *Phoenicopterus ruber*

ALE: Flamingo
FRA: Flamant
ING: Flamingo
ITA: Fenicottero rosso
POR: Flamingo

CURIOSIDADES

• Realizan siete gestos y varios tipos de llamadas para reconocer a su pareja en medio de la bandada.

• Cuando vuelan en grupo se colocan en V para ofrecer menos resistencia aerodinámica.

ENVERGADURA	PESO	LONGEVIDAD	ALIMENTACIÓN	EXINTO	AMENAZADO	BAJO RIESGO
1,60 m	2-3 kg	40 años	filtrador, mirófago	EX EW CR EN VU CD NT **LC**		

COCODRILO AFRICANO

PÁGINA: 15

LAT: *Crocodylus niloticus*

ALE: Nilkrokodil
FRA: Crocodile du Nil
ING: Nile crocodile
ITA: Coccodrillo del Nilo
POR: Crocodilo-do-Nilo

CURIOSIDADES

• El cocodrilo era venerado en el antiguo Egipto. Es frecuente encontrar sus momias en las tumbas.
• El nombre de cocodrilo viene del griego «kroko» (piedra) y «deilos» (gusano).

LONGITUD	PESO	LONGEVIDAD	ALIMENTACIÓN	EXINTO	AMENAZADO	BAJO RIESGO
5 m	500 kg	50 años	depredador, carnívoro	EX EW CR EN VU CD NT **LC**		

VÍBORA EUROPEA

PÁGINA: 17

LAT: *Vipera berus*

ALE: Kreutzotter
FRA: Vipère berus
ING: Adder
ITA: Marasso
POR: Víbora europeia

CURIOSIDADES

· Las víboras son ovovivíparas; es decir, las crías nacen de huevos, como las aves, pero eclosionan en el interior de la madre y nacen perfectamente desarrolladas.

· Más del 50% de las picaduras de víbora son «secas», sin inoculación de veneno.

LONGITUD	PESO	LONGEVIDAD	ALIMENTACIÓN	EXINTO	AMENAZADO	BAJO RIESGO
50-70 cm	60-100 g	15 años	depredador, carnívoro	EX EW	CR EN VU	CD NT LC

PIRAÑA DE VIENTRE ROJO

PÁGINA: 19

LAT: *Serrasalmus nattereri*

ALE: Piranha
FRA: Piranha rouge
ING: Piranha
ITA: Piranha
POR: Piranha vermelha

CURIOSIDADES

· Es una especie muy utilizada en acuarios porque se reproduce muy bien en cautividad.

· La mayoría de las mordeduras causadas por pirañas se producen al ser capturadas por pescadores.

LONGITUD	PESO	LONGEVIDAD	ALIMENTACIÓN	EXINTO	AMENAZADO	BAJO RIESGO
30 cm	1 kg	10 años	depredador, carnívoro	EX EW	CR EN VU	CD NT LC

LAMPREA

PÁGINA: 21

LAT: *Petromyzon marinus*

ALE: Neunaugen
FRA: Lamproie
ING: Lamprey
ITA: Lamprede
POR: Lampreia

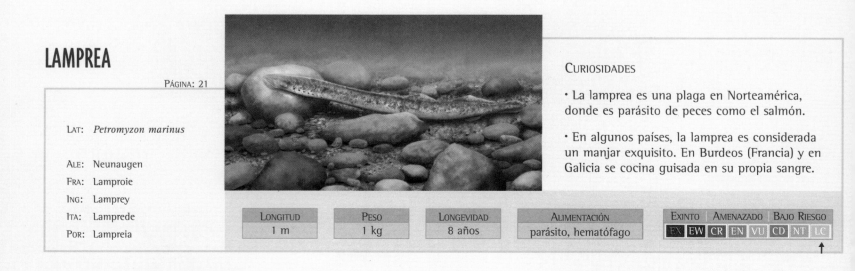

CURIOSIDADES

· La lamprea es una plaga en Norteamérica, donde es parásito de peces como el salmón.

· En algunos países, la lamprea es considerada un manjar exquisito. En Burdeos (Francia) y en Galicia se cocina guisada en su propia sangre.

LONGITUD	PESO	LONGEVIDAD	ALIMENTACIÓN	EXINTO	AMENAZADO	BAJO RIESGO
1 m	1 kg	8 años	parásito, hematófago	EX EW	CR EN VU	CD NT LC

ESTRELLA DE MAR

PÁGINA: 23

LAT: Clase *asteroidea*

ALE: Seesterne
FRA: Étoile de mer
ING: Starfish
ITA: Stelle marine
POR: Estrela-do-mar

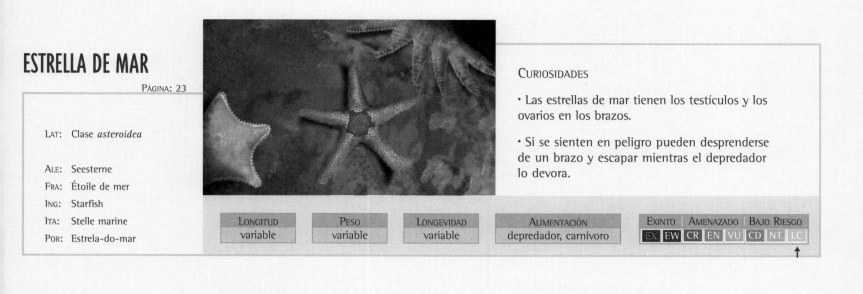

CURIOSIDADES

• Las estrellas de mar tienen los testículos y los ovarios en los brazos.

• Si se sienten en peligro pueden desprenderse de un brazo y escapar mientras el depredador lo devora.

LONGITUD	PESO	LONGEVIDAD	ALIMENTACIÓN	EXINTO	AMENAZADO	BAJO RIESGO
variable	variable	variable	depredador, carnívoro	EX EW	CR EN VU	CD NT LC

LANGOSTA MIGRATORIA

PÁGINA: 25

LAT: *Locusta migratoria*

ALE: Wüstenheuschrecke
FRA: Criquet pèlerin
ING: Migratory locust
ITA: Locusta migratoria
POR: Gafanhoto-migratório

CURIOSIDADES

• El macho tiene un órgano sonoro y canta de noche; la hembra es muda.

• La langosta es muy utilizada para la alimentación de aves y reptiles en cautividad.

LONGITUD	PESO	LONGEVIDAD	ALIMENTACIÓN	EXINTO	AMENAZADO	BAJO RIESGO
3-6 cm	2 g	40 días (f. ad.)	herbívoro	EX EW	CR EN VU	CD NT LC

MOSQUITO COMÚN

PÁGINA: 27

LAT: *Culex pipiens*

ALE: Gemeine stechmücke
FRA: Maringouin commun
ING: House mosquito
ITA: Zanzara
POR: Mosquito comum

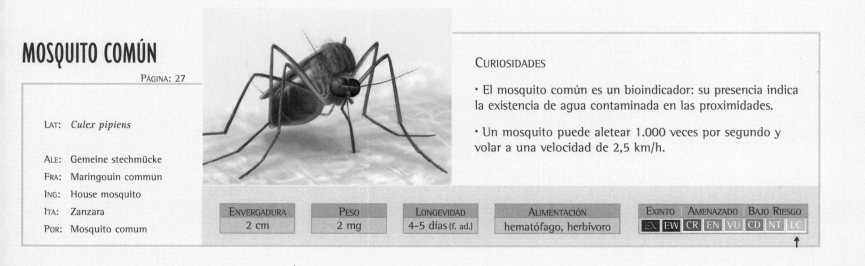

CURIOSIDADES

• El mosquito común es un bioindicador: su presencia indica la existencia de agua contaminada en las proximidades.

• Un mosquito puede aletear 1.000 veces por segundo y volar a una velocidad de 2,5 km/h.

ENVERGADURA	PESO	LONGEVIDAD	ALIMENTACIÓN	EXINTO	AMENAZADO	BAJO RIESGO
2 cm	2 mg	4-5 días (f. ad.)	hematófago, herbívoro	EX EW	CR EN VU	CD NT LC

GLOSARIO

Biocenosis

Conjunto de todos los animales, plantas y otros seres vivos de un ecosistema.

Bioindicador

Especie que solo aparece en unas condiciones ambientales determinadas. Por ejemplo, la presencia de mosquitos indica la existencia de agua contaminada y la abundancia de truchas en un río indica que el agua está limpia.

Biotopo

Es la parte no viva de un ecosistema y comprende las rocas, el agua, el aire y las demás condiciones físicas del medio ambiente.

Bivalvo

Referido a los moluscos: que tiene dos conchas, como el mejillón y la ostra.

Carnívoro

Dicho de un animal: que se alimenta de la carne de otros animales.

Depredador

Dicho de un animal carnívoro: el que está especializado en cazar a otros animales.

Eclosionar

Nacer, salir del huevo las crías de los animales ovíparos.

Ecolocación

Sentido que tienen algunos animales, como los murciélagos, para situarse en el espacio y desplazarse incluso en la oscuridad más absoluta. Consiste en emitir sonidos de muy baja frecuencia y escuchar los ecos que estos sonidos producen para hacerse una imagen mental del entorno.

Ecosistema

Conjunto formado por los seres vivos (biocenosis) y las condiciones físicas del medio (biotopo) que existen en un lugar determinado.

Electrolocación

Sentido que tienen algunos animales, como el ornitorrinco, para detectar los campos eléctricos producidos por las contracciones musculares de sus presas y así poder localizarlas y capturarlas.

Envergadura

Longitud medida entre las puntas de las alas extendidas de un ave o murciélago.

Hábitat

Tipo de lugar en el que habita una especie.

Hematófago

Dicho de un animal: que se alimenta de sangre.

Herbívoro

Dicho de un animal: que se alimenta de plantas o algas.

Línea lateral

Órgano sensorial que poseen los peces. Está situado a lo largo de los costados del animal, desde las agallas hasta la cola. Sirve para percibir las vibraciones que se producen en el agua y así detectar la presencia de animales o de objetos en movimiento en las proximidades.

Micrófago

Dicho de un animal: que se alimenta de partículas de alimento muy pequeñas en relación a su tamaño.

Omnívoro

Dicho de un animal: que come todo tipo de alimentos, animales o vegetales.

Parásito

Dicho de un animal: que se aprovecha de otro al que perjudica. Muchos parásitos se alimentan de la sangre de sus presas.

Regurgitar

Vomitar parte del contenido del estómago para alimentar a otro animal. Por ejemplo: las aves marinas regurgitan algunos peces cuando llegan al nido para alimentar a sus crías.

«Sangre fría»

Se dice que son «de sangre fría» los animales que no mantienen una temperatura corporal estable, sino que su temperatura interna es variable y depende de la temperatura ambiente. Son los anfibios, reptiles y peces. Técnicamente se denominan poiquilotermos. Por el contrario, las aves y los mamíferos mantienen siempre una temperatura corporal constante y son denominados homeotermos.

UICN

Unión Internacional para la Conservación de la Naturaleza. Esta organización estudia el estado de conservación de las especies y publica los resultados cada año. Las categorías son:
- Extinto (EX)
- Extinto en estado silvestre (EW)
- Amenazado (TR)
  · En peligro crítico (CR)
  · En peligro (EN)
  · Vulnerable (VU)
- Bajo riesgo (LR)
  · Dependiente de medidas de conservación (CD)
  · Próximo a la vulnerabilidad (NT)
  · Mínima preocupación (LC)
- Datos insuficientes (DD)
- No evaluado (NE)

© del texto: Xulio Gutiérrez, 2008

© de las ilustraciones: Nicolás Fernández, 2008

© de la traducción: Chema Heras, 2008

Coordinación de la colección *Animales extraordinarios*: Chema Heras

© de esta edición: Faktoría K de Libros, 2008

Urzaiz, 125 bajo - 36205 Vigo
Telf.: 986 127 334
faktoria@faktoriakdelibros.com
www.faktoriakdelibros.com

Primera edición: abril, 2008
Impreso en C/A Gráfica

ISBN: 978-84-96957-28-2
DL: PO 112-2008
Reservados todos los derechos